Achub Myrffi

Alys Jones

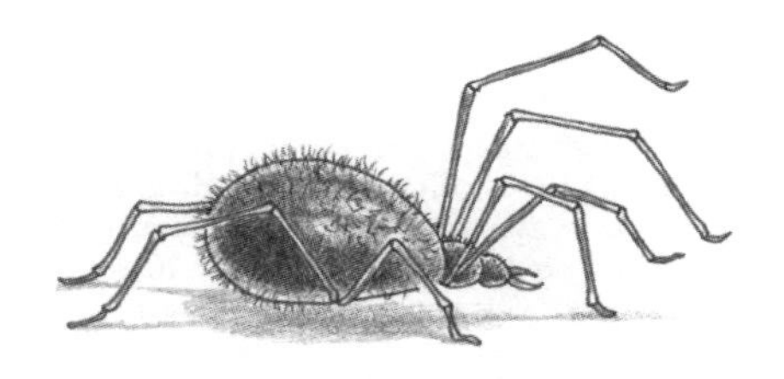

Lluniau Gillian F. Roberts

Gomer

Argraffiad cyntaf – 2005

ISBN 1 84323 523 4

Dymuna'r cyhoeddwyr gydnabod cymorth
Adrannau Cyngor Llyfrau Cymru.

Argraffwyd gan
Wasg Gomer, Llandysul, Ceredigion SA44 4JL

Pennod 1

'Omaigod!' gwaeddodd Elen. 'Peidiwch â symud! Peidiwch â symud modfedd!'

Roedd hi newydd weld clamp o bry copyn mawr yn carlamu ar draws carped yr ystafell fwyta ac yn anelu am y cwpwrdd gwydr yn y gornel. Fel fflach, gafaelodd yn y bowlen ffrwythau a'i gwagio ar ganol y bwrdd nes bod yr afalau a'r orenau'n rowlio i bobman. Rhoddodd naid fawr i gyfeiriad y cwpwrdd gwydr, a throi'r bowlen a'i phen i lawr yn sydyn dros y pry copyn. Crynodd y cwpwrdd gwydr nes bod y llestri'n tincial.

'Wedi dy ddal di!' meddai. 'Catrin! Estyn y pad sgrifennu yna i mi. Tyrd! Sydyn!'

'Hei!' meddai Elwyn, wrth weld ei feiro a'i nodiadau'n hedfan o'i law.

Penliniodd Catrin wrth ochr Elen, ac fel pe bai hi'n deall meddwl ei ffrind, gwthiodd glawr y pad ysgrifennu A4 yn araf deg o dan y bowlen.

'Mae o'n ddiogel rŵan,' meddai Elen. 'Wnei di agor y drws cefn i mi, Catrin?'

Gwthiodd Catrin ei sbectol yn ôl i'w lle ar ei thrwyn, a brysio o flaen Elen i agor y drws.

Llithrodd Elen un llaw o dan glawr y pad ysgrifennu, gan ddal y llaw arall yn gadarn ar ben y bowlen. Cariodd y cyfan at stepen y drws cefn a rhoi dau gam i ganol y gwynt a'r glaw. Cyrliai a fflapiai tudalennau'r pad ysgrifennu yn y gwynt wrth i Elen ollwng y pry copyn yng nghanol un o botiau coed rhosys bach ei mam.

Aeth y ddwy yn ôl at y bechgyn.

'Wel . . . wel . . . rargol, drycha'r llanast sy ar hwn!' meddai Elwyn yn flin ar ôl agor y pad ysgrifennu. Aeth ei wyneb llawn, coch yn gochach fyth. 'Fedra i ddim gweld be ydw i wedi'i sgrifennu, rŵan. Diolch yn fawr, Elen.'

'Sori,' meddai Elen, gan chwarae gyda'i chyrls brown, gwyllt oedd wedi chwythu rywsut rywsut rownd ei hwyneb, 'ond ddim arna i mae'r bai ei bod hi'n bwrw glaw.'

Ochneidiodd Rhys. Rhoddodd ei benelinoedd ar y bwrdd a phwyso'i ben ar ei ddwylo'n ddiflas. 'Dim ots, beth bynnag. Doedden nhw ddim yn syniada *brilliant*, nag oedden?'

Roedd Myrf Bach ar ei bengliniau ar y gadair wrthi'n gwneud lluniau tractors. Er ei fod bron yn un ar ddeg oed, roedd rhaid iddo eistedd felly er mwyn iddo fedru cyrraedd y bwrdd yn iawn. Fo oedd y byrraf yn y dosbarth.

'Ga i bejan arall, Els?' gofynnodd i Elwyn.

'Na chei!'

‘O, tyrd yn dy flaen. Dim ond un arall.’

Gwylltiodd Elwyn. ‘Dyma ti! Cymera fo i gyd, ’ta!’ meddai, gan luchio’r pad ysgrifennu ar draws y bwrdd at Myrf. Rhwygodd dudalen o’r pad yn awchus cyn mynd i orwedd ar ei fol ar lawr.

Ochneidiodd pawb.

Roedd y pump wedi dod at ei gilydd i dŷ Elen ar brynhawn dydd Sadwrn am fod ganddyn nhw waith i’w gynllunio. Roedd Mr Alwyn Roberts, eu hathro, wedi gosod tasg arbennig i Flwyddyn Chwech. Y dasg oedd meddwl am wneud rhywbeth gwerth chweil yn y pentref gan restru’r pethau fydden nhw eu hangen a’r bobl fyddai’n gallu eu helpu. Roedd rhaid iddyn nhw ysgrifennu am y gwaith wrth fynd ymlaen hefyd. Roedden nhw wedi cael wythnos i feddwl am brosiect, ond doedd y pump ohonyn nhw byth wedi medru cytuno ar syniad. Roedd y grwpiau eraill i gyd wedi cychwyn arni, ac wedi bachu’r syniadau gorau. Roedd grŵp Mared Wyn, er enghraifft, yn mynd i blannu coed a blodau mewn gwahanol leoedd yn y pentref, ac roedd grŵp Iestyn yn mynd i gasglu papur i’w ailgylchu.

Hen dro, meddyliodd Rhys, ei fod wedi cael ei roi yn y grŵp yma. Byddai’n well ganddo fo fod yn yr un grŵp â’i ffrind gorau, Llŷr. ‘Dydan ni *byth* yn mynd i fedru gwneud hyn, wyddoch chi,’ meddai. ‘Mae pawb yn chwarae’n wirion drwy’r adeg.’

'Na dydan ni ddim,' meddai Catrin, ei llygaid mawr glas yn edrych yn anferth y tu ôl i'w sbectol ymyl binc. Tynhaodd ei phwt o gynffon ceffyl melyn ar ei phen a sefyll cyn daled ag y medrai ei chorff bychan. 'Ar y pry copyn roedd y bai.'

'Mi wn i!' gwaeddodd Myrf Bach yn sydyn. 'Glanhau graffiti!'

Taflodd Elwyn oren ato fo.

'Faint o weithia sydd isio deud? Mae Emyr a'r grŵp yn gwneud hynny.'

'O, ydyn, hefyd,' meddai Myrf, a mynd yn ôl i wneud lluniau tractors.

Casglodd Elen yr afalau a'r orenau a'u rhoi nôl yn y bowlen. Roedd golwg feddylgar ar ei hwyneb.

'Hei, mae'r pry copyn yna wedi rhoi syniad i mi,' meddai'n araf.

'*Cy!*' meddai Rhys, a throi ei ben draw.

'Mi fasen ni'n medru meddwl am . . . ach . . . chi'n gwybod . . . helpu anifeiliaid a phethau felly . . . bod yn ffeind efo nhw . . . peidio gadael iddyn nhw gael eu brifo a'u lladd.'

'Ia!' cytunodd Catrin.

'Ia, be?' meddai Rhys.

'Wel,' meddai Catrin, gan sythu eto, 'mi fasai Elen wedi medru sathru'r pry cop yna, 'yn basai?'

'Ych na faswn!' gwaeddodd Elen.

'Ocê, dwi'n gwybod. Deud ydw i y baset ti wedi *medru* ei sathru o taset ti'n un greulon efo anifeiliaid.

Ond wnest ti ddim, naddo? Mi wnest ti ei gario fo allan. Felly, mae yna un anifail yn fyw o hyd, diolch i ti.'

'Trychfil,' meddai Rhys yn sych.

'E?' meddai Elen.

'Dyna ydi pry copyn. Trychfil.'

'Ro'n *i*'n gwybod hynna hefyd,' meddai Catrin gan ysgwyd ei phen a chrychu ei thrwyn ar Rhys.

'Ocê, ocê. Hwyrach bod gan Catrin syniad,' meddai Rhys gan blethu ei freichiau, 'ond dach chi'n cofio mai dim ond wythnos ydan ni'n gael i *wneud* y weithgaredd? A be tasen ni ddim yn dod o hyd i anifail neu aderyn mewn peryg neu beth bynnag? Be dan ni i fod i'w wneud wedyn? Rhoi posteri o gwmpas yn gofyn iddyn nhw gysylltu efo ni? *Cy!* A fedrwn ni ddim sôn am achub pry copyn, neu mi fydd pawb yn chwerthin am ein pennau ni!'

Gollyngodd Myrf Bach ei feiro ar y bwrdd gyda chlec. Edrychodd y lleill yn syn arno fo.

'Dw i wedi cael syniad,' meddai'n ddistaw, ei lygaid tywyll yn gwibio o un gornel i'r llall a'i geg yn mynd yn grwn fel botwm crys. 'Mi wn i be fasen ni'n gallu'i achub.'

Daliodd y lleill i edrych arno fo.

'A dw i o ddifri, hefyd.'

'*Paid* â deud pry copyn,' meddai Elwyn yn araf deg, 'neu mi fydda i'n taflu'r fala yma atat ti.'

‘Doeddwn i ddim am ddeud pry copyn,’ meddai Myrf yn syn.

‘Be ta?’ gwaeddodd Elen a Catrin ar draws ei gilydd.

‘Achub mochyn!’

Pennod 2

'Be ti'n feddwl . . . *achub mochyn*?' meddai Rhys. 'Wyt ti'n gwybod am un mewn helbul, neu rywbeth?'

Rhoddodd Myrf sniffiad bach bwysig. 'Dw i'n gwybod am chwech *fydd* mewn andros o helbul pan fyddan nhw'n ddigon mawr i fynd i'r lladd-dy,' meddai.

'W . . . y, bechod. Taw wir, Myrf,' meddai Elen, gan droi ei chyrls yn gyflym.

Lledodd Myrf Bach ei ddwylo'n wastad ar y bwrdd, fel tasai o ar fin dweud rhyw gyfrinach fawr.

'Dw i'n digwydd gwybod, iawn, bod Ewyrth Wil, brawd Mam, iawn, wedi cael chwech o foch bach.' Chwarddodd Myrf wrth ychwanegu, 'Wel, dim fo! Ei fochyn o!'

'Hwch,' meddai Rhys, ei lygaid yn diflannu i'w ben.

'Ocê. Hwch o'n i'n feddwl. Dw i wedi'u gweld nhw. Maen nhw'n ddel ac yn fychan . . .'

'Yr un fath â bron bob dim sydd newydd gael ei eni,' torrodd Rhys ar ei draws.

'Gad lonydd iddo fo ddeud, wir!' meddai Catrin yn flin, ei thrwyn bron yn wyneb Rhys.

'Ydw i i fod i sgrifennu hyn i lawr, ta be?' gofynnodd Elwyn, gan chwilio'n wyllt am dudalen heb smotiau glaw arni hi. 'Neu ydi hwn yn un arall o'r syniada gwirion?'

'Sgrifenna fo,' meddai Elen yn bendant, gan daro'i bys ar y bwrdd fel tasai hi'n taro nodyn piano. 'Dw i'n meddwl bod gynnon ni syniad yn fan'ma.'

'Meddwl o'n i . . .' cychwynnodd Myrf eto yn ddistaw a chyfrinachol.

'*Cy!*' ebychodd Rhys.

'*Rhys!*' gwaeddodd Elen a Cartin efo'i gilydd.

'Meddwl o'n i,' aeth Myrf yn ei flaen heb gymryd sylw o Rhys, 'y basen ni'n medru achub un o'r moch bach rhag cael ei ladd. Beth bynnag, dydi o ddim yn iawn bod anifeiliaid yn cael eu lladd dim ond er mwyn i bobol gael eu bwyta nhw. Dw i'n meddwl y dylai pawb fod yn . . . yn . . . be-dach-chi'n-galw.'

'Llysieuwyr!' rhoddodd Catrin ei phig i mewn. Gafaelodd Catrin mewn dau gudyn o'i chynffon ceffyl a rhoi plwc sydyn iddyn nhw. 'Dw i'n cytuno efo ti, Myrf. Dw i wedi bod yn un ers oesoedd.'

'E?' meddai Elen, a'i cheg yn hanner agored. 'Paid â deud celwydd, Catrin. Roedd gen ti gig yn dy frechdana ddoe.'

'Nag oedd ddim,' meddai Catrin. '*Tofu* oedd o.'

'Be ar y ddaear ydi hwnnw?' gofynnodd Elwyn.

'Rhywbeth wedi'i wneud o ffa *soya*,' atebodd Catrin yn glyfar. 'Mae o'n dda i ti, hefyd.'

'Yn bersonol, dw i wrth fy modd efo cig, a dw i'n bwyta llawer ohono fo hefyd, mae'n rhaid i mi gyfaddef,' meddai Elwyn. 'Ond mi faswn i wrth fy modd hefyd tasen ni'n medru symud ymlaen efo syniad Myrf, er mwyn i ni gael gwneud y fflipin gwaith yma!' Erbyn hyn roedd Elwyn wedi dechrau curo'i ddyrnau ar y bwrdd fel pe tasai o'n chwarae drwm.

'Wel, dw i'n meddwl ei fod o'n syniad da,' meddai Catrin. 'Mae achub bywyd anifail yn beth gwerth chweil i'w wneud.'

'Cytuno,' meddai Elen.

'Dw i'n meddwl ei fod o'n syniad gwallgo,' meddai Rhys gan ochneidio, 'ond gan na fedra i ddim meddwl am syniad gwell sydd heb gael ei gymryd gan grŵp arall yn barod, does gen i ddim dewis ond cytuno.'

'Wneith pawb godi llaw i ddangos, 'ta?' meddai Elwyn.

Cododd pawb ei law.

'Iei!' meddai Myrf yn falch.

Gwyliodd y pedwar arall Elwyn yn ysgrifennu'n brysur ac yna'n rhoi ei feiro i lawr.

'Sgiws mi, te,' meddai Elen braidd yn freuddwydiol, 'ond sut ydan ni'n mynd i achub y mochyn yma?'

Roedd pawb yn ddistaw am eiliad, yn meddwl yn galed.

'Mae o'n hawdd iawn,' meddai Myrf Bach. 'Mi fydd rhaid i ni ei ddwyn o!'

'Ei gipio fo, felly?' meddai Elen, ei llygaid brown golau yn serennu.

'Ia!' meddai Myrf, mewn llais gangster. 'Mi fedra i ddeud wrthach chi lle mae'r moch a sut i agor y cwt a phob dim fel'na, achos dw i'n helpu Ewyrth Wil'n reit amal efo nhw.'

'Be dan ni'n mynd i'w wneud efo fo ar ôl ei ddw . . . ar ôl ei achub o?' gofynnodd Catrin.

'Mi fedrwn ni 'i guddio fo yn y cwt sy gan Nain yn y cae bach cefn. Fydd hi byth yn mynd yno achos dydi hi ddim yn cerdded o gwmpas rhyw lawer am bod ganddi goes ddrwg.'

'Be os wnaiff y bobl drws nesa 'i glywed o'n gwichian?' gofynnodd Elwyn.

'Mae Nain yn byw mewn tyfyn, dydi,' esboniodd Myrf.

'*Tyfyn*?' meddai Catrin. '*Tyddyn* wyt ti'n feddwl?'

'Ia, tyddyn *mae* o'n feddwl,' meddai Rhys. 'Tyddyn Rhos ydi enw tŷ ei nain o. Roedd ganddi lawer o gaeau erstalwm, cyn iddyn nhw adeiladu Stad y Rhos arnyn nhw.'

Crychodd Myrf Bach ei dalcen ar Rhys. 'Sut wyt ti'n gwybod pob dim am fy nain i?' gofynnodd.

'Mae pawb yn gwybod hyn'na,' meddai Rhys.

'Hidia befo am hynny rŵan. Y peth pwysig ydi na fydd neb yn debygol o glywed y mochyn bach yma yn y cwt ym mhen draw gardd gefn dy nain, hynny ydi, *os* fedrwn ni fynd â fo yno'n y lle cynta.'

'Pa mor hir ydan ni'n mynd i'w gadw fo yno?' gofynnodd Elwyn. 'Mae moch bach yn tyfu'n sydyn, mae'n siŵr.'

'Mi groeswn ni'r bont yna pan ddown ni ati hi,' meddai Catrin.

'Rydan ni i fod i wneud rhestr o'r bobol sy'n mynd i fedru'n helpu ni,' meddai Elwyn. Yna ychwanegodd mewn llais cwynfannus, 'ond fedrwn ni ddim gofyn i neb achos wnân nhw ddim gadael i ni *ddwyn* y mochyn yn y lle cynta!'

'Hwyrach,' meddai Elen yn synfyfyriol, 'y basai d'ewyrth yn ein helpu ni tasen ni'n egluro mai ar gyfer gwaith ysgol mae o . . . ac y basai o'n gadael i ni ei ddwyn o, a dyna fo.'

'Ewyrth Wil?' gwichiodd Myrf. 'Dim gobaith!' Yna, gwenodd. 'Ond mi wn i am un fasai'n ein helpu ni.'

'Pwy?' gofynnodd Elen.

'Gewch chi weld.' Edrychodd Myrf ar ei wats a chododd gan wenu. 'Sori, ond dw i'n gorfod mynd rŵan. Isio mynd i weld dyn ynglŷn â mochyn!' Yna, ychwanegodd, 'Hei! Dach chi isio dod i weld y moch bach ar ôl te os bydd hi wedi stopio bwrw?'

'W, ydan!' meddai'r genethod ar draws ei gilydd.

‘Mi fasai o’n syniad i ni fynd i weld be dan ni’n fwriadu ei achub, mae’n siŵr,’ meddai Elwyn gan godi ei ysgwyddau a chau ei lyfr.

‘A gweld os ydi o’n bosib gwneud hynny,’ meddai Rhys dan ei wynt gan edrych ar y nenfwd.

‘Iawn. Pawb i gyfarfod wrth Siop Top erbyn chwech os na fydd hi’n tywallt y glaw,’ meddai Myrf, ac allan â fo.

Toc ar ôl iddo fo fynd aeth y tri arall hefyd am adref i gael eu te.

Pennod 3

Am chwech o'r gloch union roedd Elen a Catrin yn sefyll y tu allan i Siop Top. Ymhen tipyn mi welson nhw Elwyn a Rhys yn cerdded yn araf deg tuag atyn nhw, gan siarad.

'Ti'n meddwl bod Rhys yn olygus?' gofynnodd Elen yn ddistaw i Catrin.

'Mae o'n iawn,' meddai Catrin heb unrhyw frwdfrydedd.

'Dw i'n meddwl bod hogyn tal efo llygaid glas a gwallt melyn yn olygus,' ochneidiodd Elen, 'ond paid â deud wrth Rhys, cofia.'

'Wna i ddim, paid â phoeni, neu mi eith ei ben o'n fwy nag y mae o.'

'O . . . y, Catrin, chwarae teg.'

Fel roedd Elwyn a Rhys yn cyrraedd, agorodd drws y siop a daeth Myrf Bach allan ohoni. Roedd ei bocedi'n llawn fel bochau hamster ac roedd ganddo fag mawr o felysion yn ei law.

'Rhywun isio taffi?' gofynnodd, gan ddal y bag o'i flaen.

'Dim diolch. Dw i wedi cael te,' meddai Catrin.

'Mi gymera i un bach,' meddai Elen.

'Maen nhw i gyd yr un faint, siŵr,' meddai Myrf.

'Ha, *ha*,' meddai Catrin. Gwenodd Elen.

Cymerodd Elwyn a Rhys daffi bob un, a dyma'r criw yn dechrau cerdded. Roedd y bechgyn yn cerdded ar y blaen, a'r merched yn dilyn rhyw ychydig o gamau y tu ôl iddyn nhw.

Doedden nhw ddim wedi mynd ymhell iawn pan waeddodd Catrin, 'Myrf! Paid â gollwng papura melysion ar lawr!'

'Be 'di'r ots?' mwmiodd Myrf a'i geg yn llawn. 'Neiff y gwynt fynd â nhw i rywla.'

Stopiodd Catrin yn stond.

'Dw i'n 'i feddwl o, Myrf Bach! Os wnei di ollwng un papur arall mae Elen a fi'n mynd adra. Dydan, Elen?'

'Ydan? O, ydan. Cofia be ddeudodd Mr Roberts am sbwriel.'

Safodd y ddwy'n stond fel dau bolyn, a'u breichiau wedi'u plethu.

'Jest rho'r gorau iddi, Myrf Bach,' meddai Rhys.

'Iawn,' meddai Myrf. 'Dowch, wir, neu mi fydd hi wedi dechra bwrw eto.'

Aethon nhw heibio Stad y Rhos, a heibio ceg y lôn fach oedd yn arwain i dŷ nain Myrf ac ymlaen ar hyd y ffordd nes cyrraedd fferm Ewyrth Wil Myrf. Dilynodd pawb Myrf drwy'r giât i'r buarth.

Yn lle mynd at ddrws y tŷ aeth Myrf at gwt oedd â'i ddrws yn hanner agored.

'Mi fasai'n well i ni fynd i ofyn i d'ewyrth yn gynta,' meddai Elwyn.

'Fedrwn ni ddim, achos dydi o ddim yma,' atebodd Myrf yn glyfar. 'Mae o'n mynd i Superway i siopa'r adeg yma ar ddydd Sadwrn. Pam dach chi'n meddwl wnes i gynnig i chi ddod heno? Os ydan ni'n mynd i ddwyn mochyn . . .'

'*Achub* mochyn,' cywirodd Catrin o.

'Ia, *achub* mochyn, ond er mwyn ei *achub* o mae'n rhaid i ni ei *ddwyn* o, iawn? Felly os ydan ni'n mynd i ddwyn mochyn mae'n well i Ewyrth Wil beidio gwybod eich bod chi wedi bod yma, rhag ofn iddo fo'n hamau ni.'

'Ti'n dechra siarad synnwyr rŵan,' meddai Rhys.

Aeth Myrf i mewn i'r cwt tywyll a safodd y lleill yn y drws. Gwibiodd dwy iâr yn stwrllyd allan o'r cwt gan fflapio'u hadenydd yn llawn ffwdan wrth fynd heibio'u coesau.

'Bwyd i Gwen,' meddai Myrf, gan afael mewn bwced oedd yn hanner llawn o ryw stwnsh llithrig.

'Uuu . . . ych!' meddai Elen pan welodd y gymysgfa yn y bwced, a chamodd yn ôl yn sydyn. Wrth wneud hynny sathrodd mewn baw gwartheg. '*Omaigod!*' gwaeddodd. 'Be wna i?'

'Jest sycha dy dreinyr ar y glaswellt yna,' meddai Myrf yn ddidaro. 'Dilynwch fi.'

Cerddodd Myrf yn llanc i gyd at y cwt mochyn, a rhoi'r bwced i lawr wrth y glwyd. Gafaelodd ym mhen y glwyd a rhoi hwb iddo'i hun i fyny a gorwedd ar ei thraws ar ei fol. Plygodd dros y glwyd i geisio agor y bar, a'i goesau'n chwifio y tu ôl iddo.

'Help! Fedra i ddim cyrraedd!' gwaeddodd.

'Wel . . . wel . . . rargol!' meddai Elwyn mewn panig, gan feddwl fod Myrf am ddisgyn ar ei wyneb i'r cwt mochyn. Gafaelodd yn ei droed a dechrau tynnu.

'Paid! Smalio dw i! Dw i *wedi* agor y bar!' gwaeddodd Myrf eto wrth deimlo'i esgid yn dod i ffwrdd yn llaw Elwyn. Collodd ei gydbwysedd a bu'n rhaid iddo neidio i lawr yn ôl. Sglwtsh! Roedd y droed heb esgid arni wedi glanio yn y bwced.

Dechreuodd y lleill chwerthin dros bob man.

'Digri iawn!' meddai Myrf, gan hercian ar un droed a chipio'i esgid o law Elwyn. Pwysodd yn erbyn wal y cwt mochyn ac estyn bag melysion gwag wedi crychu o'i boced. Gan dynnu wynebau tynnodd ei hosan a'i rhoi yn y bag, a'i gwthio i'w boced.

'Dyna fo, ti'n gweld,' meddai Catrin, 'lwcus na wnest ti ddim taflu'r bag papur yna ar lawr! Mae 'na ddefnydd i bob dim, ti'n gweld!'

'Ydi dy droed di'n oer?' gofynnodd Elen wrth i Myrf stryffaglu i wthio'i droed i'w esgid heb agor y carrai. Tyrchodd ym mhoced ei chot. 'Gwisga hon os hoffi di!' meddai, gan chwifio maneg binc o flaen ei drwyn.

Chwarddodd pawb eto, a fedrai Myrf ei hun ddim peidio â chwerthin y tro hwn chwaith. Yna, gafaelodd yn y bwced, rhoi hergwd i'r glwyd a mynd i mewn drwyddi.

'Mae'n well i chi sbio dros ben y wal,' meddai, 'achos dydi Gwen ddim yn eich adnabod chi.'

Curodd Myrf ymyl y bwced yn erbyn y cafn. 'Tyrd yma, Gwen bach. Boch, boch, boch!' gwaeddodd i gyfeiriad y twlc.

Chwarddodd Elen yn uchel. 'Be wyt ti'n ddeud?'

'Iaith anifeiliaid ydi hi,' meddai Myrf.

Daeth Gwen allan toc, a chwech o'r moch bach deliaf a welodd y criw erioed yn rhedeg a gwichian o'i chwmpas. Tywalltodd Myrf ychydig o'r stwnsh o'r bwced i mewn i'r cafn, a dechreuodd Gwen fwyta'n awchus. Gwthiodd y moch bach oddi tani ar draws ei gilydd.

'Am ddel!' gwaeddodd Elen.

'Am ddigri!' chwarddodd Catrin.

'Hwn ydi'r gorau gen i,' meddai Myrf, gan afael mewn un mochyn bach a edrychai'n llai na'r lleill. Roedd ganddo smotyn du ar ei gefn. Ar ôl un wich uchel tawelodd y mochyn bach a llwyddodd Myrf i'w gario at y wal fel bod y lleill yn cael ei gyffwrdd. Rhoddodd Gwen y gorau i fwyta am eiliad ac edrych i gyfeiriad Myrf. Gollyngodd Myrf y mochyn bach a gadael iddo redeg yn ôl at ei fam.

Ymhen dim amser, roedd y criw wedi penderfynu mai'r mochyn bach lleiaf roedden nhw'n mynd i'w achub.

'Oes ganddyn nhw enwau?' gofynnodd Elen.

'Nag oes,' atebodd Myrf. 'Fydd Ewyrth Wil ddim yn rhoi enw ar ddim byd . . . dim ond os ydi o'n mynd i'w gadw fo.'

'W . . . y . . .' meddai Elen. 'Mae'n rhaid i ni gael enw i'n un ni, bydd?'

'Smotyn,' cynigiodd Catrin, 'am bod ganddo fo smotyn du ar ei gefn.'

'Porcyn,' meddai Elwyn.

'Stwnshi-pwnshi,' meddai Elen.

'Myrffi,' meddai Rhys.

'*Myrffi?*' meddai Catrin. '*Myrffi?*'

'Ia, am ei bod hi'n ddydd Sant Padrig, nawddsant Iwerddon, heddiw, ac mae Murphy yn enw poblogaidd yn Iwerddon.'

Edrychodd y lleill yn syn ar Rhys.

'Ti'n gwybod pob dim, dwyt ti Rhys!' meddai Elen yn llawn edmygedd.

'Nag ydw,' meddai Rhys. 'Mae gan Dad ffrind sy'n Wyddel, ac mae o'n mynd allan efo fo a rhyw griw heno i ddathlu diwrnod Sant Padrig.'

'Myrffi,' meddai Myrf yn araf. 'Myrffi. Ia, mae hwnna'n iawn. Mae o'n debyg i fy enw i hefyd . . . Myrf . . . Myrf-ffi . . . a gan mai fy syniad i oedd o, fi sy'n cael dewis, iawn?'

'Digon teg,' meddai Rhys gan godi'i ysgwyddau.

'Reit, mae'n well i ni 'i heglu hi,' meddai Myrf. 'Mi fydd Ewyrth Wil yn ôl ymhen dipyn.'

'Wyt ti isio i mi fynd â'r bwced yn ôl?' gofynnodd Rhys.

'Iawn,' meddai Myrf, a chodi'r bwced dros y wal i Rhys. 'Cofia roi'r darn llechen yna sy ar lawr tu mewn i'r drws ar ei phen hi, neu mi fydd yr ieir yn sefyll ar ei hymyl hi ac yn ei throi hi . . . fel y bu bron i mi wneud!'

Cipedrychodd Elwyn ar Rhys. Roedd o wedi dechrau bod yn glên efo Myrf. Doedd o ddim wedi dweud *Cy!* wrth neb heno, chwaith. Roedd Elwyn yn gwybod bod Rhys wedi gobeithio bod yn yr un grŵp â'i ffrind gorau, Llŷr, ond efallai ei fod o'n dechrau mwynhau ei hun efo nhw rŵan. Roedd Elwyn yn gobeithio hynny, beth bynnag, er mwyn i'r gwaith gael ei wneud.

'Omaigod!' meddai Elen yn sydyn gan edrych i fyny.

Roedd cwmwl mawr du uwch eu pennau, ac roedd hwnnw eisoes yn gollwng ambell ddiferyn mawr o law.

Rhedodd y criw nerth eu traed o'r fferm ac ar hyd y lôn. Pan oedden nhw bron â chyrraedd Siop Top, dyma hi'n dechrau tywallt y glaw nes eu bod nhw'n sgrechian ac yn gweiddi ar draws ei gilydd. Cyrhaeddodd pawb adref yn chwythu ac yn tuchan, ac yn wlyb diferol.

Pennod 4

'Pam dach chi'n sibrwd o hyd?' gofynnodd Iestyn wrth fynd heibio i fwrdd Rhys yn yr ysgol un diwrnod ar ôl bod yn rhoi min ar ei bensil.

'Dydan ni ddim,' meddai Elen.

'Ydach, mi rydach chi,' meddai Iestyn, 'ac mi rydach chi'n cuddio'ch papura o hyd.'

'Dydan ni ddim i *fod* i wneud sŵn,' meddai Catrin yn bigog. 'Mae 'na rai pobol yn *medru* gweithio'n ddistaw.'

'A dydyn nhw ddim isio i bobol eraill fusnesu o hyd chwaith,' ychwanegodd Myrf heb godi'i ben. Roedd o'n brysur wrthi'n gwneud llun cath a llun draenog.

Roedd y criw wedi dweud wrth Mr Roberts mai helpu anifeiliaid ac adar gwyllt neu ddof roedden nhw am wneud. Roedd Mr Roberts yn meddwl ei fod o'n syniad ardderchog, ac roedd Elen wrth ei bodd gan mai ei syniad hi oedd o i ddechrau, ar ôl dal y pry copyn hwnnw.

Roedd ganddyn nhw ychydig o bethau i weithio arnyn nhw. Sylwodd Rhys ar gath fawr oren oedd yn dilyn pawb yn ei stryd o. Roedd hi'n cael bwyd gan hwn a'r llall, ond yn gorfod cysgu allan dan y coed. Cath strae oedd hi. Felly, roedden nhw'n mynd i geisio cael cartref da i'r gath. Hefyd, roedd Elwyn wedi dod o hyd i ddraenog wedi brifo'i lygad. Roedd o a'i dad wedi mynd â fo at filfeddyg yn y dref.

Roedd Rhys ac Elwyn yn ysgrifennu hanes y gath a'r draenog. Roedd Elen a Catrin yn gwneud posteri i'w rhoi yn Siop Top a Siop Gwaelod, ac yn holi oedd rhywun eisiau cath.

Dechreuodd y criw wneud ychydig o waith am Myrffi hefyd. Gwnaeth Elwyn a Rhys fap yn dangos ble'r oedd Tyddyn Rhos a Chefn Llwyd. Tynnodd Myrf lun da o Myrffi, ac ysgrifennodd Catrin ac Elen benillion am y mochyn bach. Am y tro, roedden nhw'n cuddio'r gwaith hwnnw nes bydden nhw'n llwyddo i achub Myrffi. Rhwng y ddau beth, roedd grŵp Elen yn gweithio'n galed iawn.

Weithiau, roedden nhw'n cael cyfle i siarad yn ddistaw.

'Ro'n i'n wlyb at fy nghroen pan gyrhaeddais i adra ar ôl bod yn . . . dach-chi'n-gwybod-lle, dydd Sadwrn,' meddai Elen.

'A finna,' meddai Catrin.

'Mi ges i ffrae gan Mam,' meddai Myrf.

'Am fod dy ddillad di'n wlyb?' gofynnodd Elen.

'Na. Ddim hynny. Mi wnes i newid i ddillad sych

a rhoi fy nhrowsus gwlyb i hongian wrth y peth gwres . . .'

'Gwresogydd,' meddai Rhys.

'Ia, hwn'na . . . i hongian wrth y gwresogydd yn y stafell molchi, a dyma Mam yn mynd i olchi'i gwallt rywbryd yn ystod gyda'r nos, a dod allan bron â mygu. Roedd 'na arogl ofnadwy yn y stafell molchi. Ro'n i wedi anghofio bod yr hosan-bwyd-moch yn dal yn un o bocedi'r trowsus, ac roedd y gwres wedi gwneud iddi arogleuo'n ofnadwy. Roedd bob man yn drewi.'

'Ddeudaist ti lle roeddan ni wedi bod a be oedd wedi digwydd?' gofynnodd Elwyn.

'Naddo,' meddai Myrf. 'Mi ddeudais i'r peth cynta neidiodd i'm meddwl i. Mi ddeudais i mod i wedi bwyta gormod o felysion, a mod i wedi mynd yn sâl ar stepan drws Siop Top ar ôl bod yn rhedeg drwy'r glaw, ac am nad oedd gen i na neb arall hances bapur . . . achos roedd gen i gywilydd gadael y chŵd ar stepan drws Siop Top . . . dyma fi'n tynnu fy hosan ac yn ei lanhau o efo hi.'

'Uuu . . . ych!' meddai Elen. 'Am stori wirion!'

'Ia,' meddai Myrf. 'Mi ges i andros o ffrae am fod yn . . . fochynnaidd!'

Chwarddodd y criw dros bob man, a throdd pawb yn y dosbarth i edrych arnyn nhw.

'Ydach chi'n gweithio'n fan'na?' holodd Mr Roberts braidd yn flin.

'Ydan, Syr,' meddai Elen mewn llais diniwed. 'Myrf oedd yn deud jôc am . . . am anifeiliaid.'

'Beth am i ni gael ei chlywed hi, Merfyn?' gofynnodd Mr Roberts.

Crychodd Myrf ei drwyn yn slei ar Elen. 'Dw i wedi'i hanghofio hi, syr,' mwmiodd. Yna, ail feddyliodd. 'O! Dw i'n cofio un rŵan, Syr! Pam oedd yr eliffant yn gwisgo sana bach coch?'

'Wn i ddim. Pam?'

'Achos roedd ei sana bach glas o'n . . . fudur.' Roedd Myrf a gweddill y grŵp wedi dechrau chwerthin eto, ond doedd neb ond nhw'n gweld y jôc yn ddigri iawn, achos roedden nhw'n meddwl am Myrf yn rhoi ei droed yn y bwced bwyd moch, ac am yr hosan yn sychu ac yn drewi yn ei ystafell ymolchi.

Ymhen tipyn, ar ôl i bawb dawelu ac ailddechrau gweithio, dyma Rhys yn sibrwd yn sydyn, 'Dw i newydd gofio, Myrf Bach. Pan oeddet ti'n mynd o dŷ Elen pnawn dydd Sadwrn mi ddeudaist ti dy fod ti'n mynd i weld rhywun oedd yn mynd i fedru'n helpu ni efo Myrffi. Pwy, felly?'

'Ti ddim wedi *deud* wrth neb be ydan ni am wneud, gobeithio!' meddai Catrin yn ddistaw.

'Naddo,' meddai Myrf yn ddi-ffrwt, 'achos doedd o ddim yna.'

'Doedd *pwy* ddim yna?' meddai Catrin eto.

'Y person sy'n mynd i'n helpu ni i achub Myrffi, siŵr,' meddai Myrf. Ychwanegodd mewn llais difrifol, 'Wneith o ddim deud wrth *neb*, iawn? Mi awn ni i gyd i'w weld o heno efo'n gilydd, os ydach chi isio.'

Ochneidiodd Elwyn. 'Wel . . . wel . . . rargol. Mynd i weld *pwy*?'

Rhoddodd Myrf ei ddwylo yn wastad ar y bwrdd ac edrych o un i'r llall. Yna, dywedodd yn araf a chyfrinachol, 'Jim-Hel-Bob-Dim.'

Pennod 5

Un o gymeriadau pentref Bryncoed oedd Jim-Hel-Bob-Dim. Roedd o'n byw mewn carafán ac roedd ganddo hen fan wen, swnllyd wedi rhydu. Defnyddiai'r fan i gasglu pethau nad oedd pobl eraill mo'u heisiau, yna eu cadw mewn hen gwt mawr a oedd unwaith yn feudy.

Roedd Jim yn un da am drwsio pethau, ac am wneud pethau o dameidiau o bethau eraill. Yn aml, byddai golau o dan ddrws y cwt yn hwyr yn y nos, yn enwedig os oedd Jim wedi addo trwsio rhywbeth erbyn y diwrnod wedyn.

Weithiau, doedd dim sôn am Jim yn unman. Byddai wedi mynd i gasglu pethau. Yna, ymhen sbel, byddai'n ôl yn ei gwt yn curo neu'n weldio neu'n llifio fel arfer.

Os oedd rhywun eisiau benthyg berfa neu fatri car, neu eisiau trwsio beic, y peth gorau i'w wneud oedd mynd i weld Jim. Ambell waith, efallai nad oedd y darn angenrheidiol gan Jim, ond byddai wedi cael gafael arno, yn siŵr, ymhen diwrnod neu ddau.

'Mi fydda i ychydig bach yn hwyr heno, Mam,' meddai Catrin wrth ei mam ar ei ffôn symudol wrth iddi gerdded allan o'r ysgol. 'Mae Elwyn, Elen a finna'n mynd efo Myrf i weld Jim-Hel-Bob-Dim . . . i weld . . . i weld ydi'i feic o'n barod . . . iawn? Hwyl.'

Bu raid i Rhys fynd adref i newid gan ei fod yn nhîm pêl-droed dan 12 oed y pentref, a bod ganddyn nhw gêm am hanner awr wedi pedwar y dydd Gwener hwnnw. Roedden nhw'n chwarae yn erbyn Llanfadog yng nghae pêl-droed Bryncoed. Roedd Rhys yn mwynhau chwarae pêl-droed, ac roedd o'n aelod o'r tîm ers dwy flynedd. Er bod Bryncoed yn arfer bod yn dîm da ac yn ennill yn gyson, yn ddiweddar roedden nhw wedi bod yn colli llawer o gêmau. Roedd Rhys yn gobeithio'n fawr y byddai Bryncoch yn ennill y prynhawn hwnnw.

Roedd Myrf yn gobeithio y gallai Jim eu helpu drwy gario Myrffi o dŷ ei ewyrth i dŷ ei nain yn ei fan.

'Mi garia i Myrffi o dan fy nghôt!' chwarddodd Elen.

'Be fasat ti'n wneud tasai o'n gwneud be-ti'n-galw ar hyd dy ddillad di?' gofynnodd Elwyn.

'Ei ollwng o!' atebodd Myrf Bach.

'Na faswn ddim,' meddai Elen. 'O . . . uuu . . . ych, baswn,' meddai wedyn.

'Mi fasen ni'n gallu rhoi un o glytia Siôn, fy mrawd bach i, amdano fo!' meddai Catrin, a chwarddodd y pedwar.

Cyn bo hir cyrhaeddodd y criw gwt Jim-Hel-Bob-Dim. Roedd y drws yn gil agored. Curodd Myrf arno'n uchel cyn rhoi ei drwyn i mewn a gweiddi, 'Helô!' dros bob man.

Ymhen tipyn, daeth sŵn pethau'n symud ac ambell beth yn disgyn rywle o ganol y cwt, a sŵn Jim yn bustachu i ddod at y drws. Gwisgai hen oferôls glas tywyll, a rheini'n baent ac yn olew i gyd. Roedd cadach yn ffrothio o un o'i bocedi, a chap yr un lliw a'i oferôls ar ei ben, a hwnnw y tu ôl ymlaen.

'Isio help efo rhyw waith ysgol ydan ni, Jim, os gwelwch chi'n dda,' meddai Myrf wrtho.

'Gwaith ysgol?' meddai Jim yn syn. 'Wel, wn i ddim be am hynny. Fues i erioed yn un da efo gwaith ysgol.'

'Dim syms ac ati dw i'n feddwl,' meddai Myrf. 'Mi wna i egluro.'

'Wel, aros di i mi gael gweld, ta,' meddai Jim, a thynnodd ei sbectol oedd yn smotiau bach o baent i gyd. Ceisiodd ei glanhau gyda'r cadach oedd yn ei boced, ond trodd gwydrau ei sbectol yn ddau gwmwl llwyd.

'Drapia,' meddai Jim. 'Dipyn o dỳrps wneith y tric.'

Aeth Jim at silff wrth ochr y ffenest ac estyn rholyn o bapur cegin a photel o dỳrps. Gwagiodd dipyn o'r hylif ar ddarn o'r papur, a rhwbio gwydrau ei sbectol gydag o. Daeth o hyd i gadach glân mewn rhyw dun.

'Eglura di tra bydda i'n rhoi sglein ar rhein,' meddai.

Erbyn i Myrf ddweud y stori'n llawn, roedd Jim wedi gorffen glanhau ei sbectol a'i rhoi yn ôl ar ei drwyn.

'. . . a meddwl oeddwn i, hwyrach y basech chi'n gallu'n helpu ni efo'r fan,' gorffennodd Myrf.

Bu Jim yn ddistaw am dipyn. Yna, tynnodd ei gap, crafu ei ben a throi ei gap y ffordd iawn. Ymhen ychydig, tynnodd ei gap eto a'i roi y tu ôl ymlaen fel cynt.

'Swnllyd ydi'r hen fan yma,' meddai. 'Mi fydd pawb wedi deall be fydd yn digwydd. Hwyrach y basai berfa . . .'

'Dacw fo! Yr union beth!' gwaeddodd Catrin ar ei draws. Roedd hi'n pwyntio at hen goets babi oedd yn y golwg yng nghanol pentwr o hen feiciau ac olwynion. 'Pan oeddwn i'n jocian gynnau y basen ni'n gallu rhoi un o glytiau fy mrawd bach am Myrffi, mi feddyliais i hefyd am ei gario fo yn ei goets! Faswn i byth yn gwneud hynny o ddifri, wrth gwrs. Ond rŵan, ar ôl gweld yr hen goets acw, dw i'n meddwl ei fod o'n syniad da.'

'Am hwyl!' chwarddodd Elen. 'Sut fedrwn ni gadw Myrffi rhag neidio allan?'

'Am funud, am funud,' meddai Jim. 'Dowch i ni weld sut gyflwr sy ar y goets yn gynta. Rŵan. Sefwch yn ôl am eiliad.'

Aeth Jim at y pentwr a dechrau symud a thynnu a halio a gwthio. O'r diwedd, daeth y goets yn rhydd. Edrychodd arni'n ofalus.

'Un olwyn ar goll,' mwmiodd, 'ond mae gen i un fasai'n gwneud y tro yn ei lle.'

Edrychodd dros ei sbectol ar Myrf. 'Pryd oeddech chi'n meddwl mynd â'r mochyn bach i le dy nain?'

'Rhyw ddydd Mercher ar ôl te fasai'r amser gorau,' meddai Myrf. 'Mae Ewyrth Wil yn arfer mynd i Rhes Ganol i weld ei ffrind, Twm Elis, yr adeg honno.'

Cododd Jim ei gap eto, a'i roi ar ei ben-glin. Tynnodd ei fysedd drwy ei wallt gwyn, a dweud, 'Wel, mae moch bach yn tyfu'n sydyn. Cynta'n y byd y gwnewch chi'r job, gorau'n y byd.'

'Pryd ydach chi'n gynnig ta, Jim?' gofynnodd Myrf.

'Dydd Mercher nesa,' meddai Jim.

'W . . . y!' meddai Elen, a dechrau troi ei gwallt yn wyllt.

'Felly, i drefnu popeth, does gynnon ni ond . . .' dechreuodd Elwyn.

'Pedwar diwrnod,' meddai Catrin, 'heb gyfri heddiw na dydd Mercher.'

'Iawn, Jim,' meddai Myrf. 'Mi ddown ni yma nos Lun i weld a ydi'r goets yn barod.' Edrychodd ar y lleill a rhwbio'i ddwylo yn ei gilydd. 'Dowch, hogia. Dydd Mercher nesa amdani, felly!'

Pennod 6

Doedd rhieni un neu ddau o'r criw ddim yn siŵr iawn beth oedd yn bod ar eu plant nhw y penwythnos hwnnw.

Yn Awelfryn, cartref Elwyn, mi fydden nhw fel arfer yn cael brecwast wedi'i goginio ar fore dydd Sadwrn am fod digon o amser ganddyn nhw. Doedd neb yn mynd i'w waith, a doedd dim ysgol. Bydden nhw'n cael cig moch, wy wedi'i ffrio, tomatos a madarch i frecwast, a byddai pawb, yn enwedig Elwyn, fel arfer, yn ei fwynhau. Roedd mam Elwyn yn methu deall, felly, wrth iddi hi ffrio'r cig moch, pam roedd Elwyn yn sefyll yn stond ar ganol llawr y gegin yn syllu i'r badell ffrio gyda golwg ryfedd iawn ar ei wyneb. Roedd hi wedi synnu, hefyd, pan gafodd hi gip arno, yn ystod y pryd bwyd, yn sleifio'i gig moch ar blât ei frawd, Dafydd. Pan ofynnodd hi iddo a oedd o'n sâl, atebodd Elwyn ei fod o'n iawn, ond nad oedd o'n teimlo fel bwyta cig moch y bore hwnnw. Doedd o ddim eisiau dweud wrth ei fam yr hyn ddywedodd o wrth y criw nes ymlaen, sef, 'Fedrwn i ddim meddwl am ei fwyta. Fallai 'i fod o'n perthyn i Myrffi.'

Roedd mam a thad Catrin wedi edrych yn syn arni pan ofynnodd hi i'w thad nôl ysgol er mwyn iddi gael mynd i'r atig i chwilio am ei hen bethau babi. Roedden nhw'n meddwl falle nad oedden nhw'n rhoi digon o sylw iddi ar ôl i'w brawd bach, Siôn, gael ei eni.

Ond roedd Catrin yn gwybod bod potel babi a harnes-cerdded mewn bocs yn yr atig. Byddai ei hen botel yn gwneud yn ardderchog i fwydo Myrffi tasen nhw'n cael teth iawn iddi. Roedd ganddi gynlluniau ar gyfer yr harnes-cerdded hefyd.

Pan welodd mam a thad Catrin hi'n mynd â bag bach o bethau o dan ei chesail o'r atig i'w llofft, yr unig beth wnaethon nhw oedd edrych ar ei gilydd ac ysgwyd eu pennau.

'Ydi hi'n ben-blwydd arna i, deudwch?' gofynnodd nain Myrf Bach, pan gyrhaeddodd y criw ar eu beiciau ar ôl cinio ddydd Sadwrn, gan gynnig gwneud hyn a'r llall o gwmpas y lle iddi. Roedd hi wedi arfer cael Merfyn yn galw i wneud rhyw gymwynas neu'i gilydd, ond roedd hi wedi synnu gweld pedwar arall yn dod i helpu hefyd.

Ymhen tipyn meddai Myrf, 'Nain, wyddoch chi'r cwt yn y cae bach cefn?'

'Ia,' meddai Nain, gan ddod i'r golwg yn araf ar bwys ei ffon.

'Fasech chi'n fodlon i ni ei gael o fel den? Lle i'n criw ni gyfarfod i drefnu petha, a dim ond ni fyddai'n cael mynd yno.'

Gwenodd ei nain. 'Roedd gan dy fam a d'ewyrth Wil le felly yn y goeden onnen fawr yna yn y cefn ers talwm. Taid wnaeth ei adeiladu o iddyn nhw. Roedden nhw'n byw a bod ynddo fo pan oedden nhw'n fychan!'

Winciodd Myrf yn slei ar y lleill. 'Mae Mam yn

sôn yn aml am hynny,' meddai. 'Roedden nhw'n cael andros o hwyl.'

'Mi gewch chi'r cwt fel den,' meddai Nain, 'ond dim ond chi sy'n cael mynd a dod o'r cwt. Dydw i ddim isio llond cae o blant yn rhedeg yn wyllt hyd y lle 'ma.'

'Iawn, Nain,' meddai Myrf. 'Dim ond ni. Ydi hi'n iawn i ni ddod ag ambell beth i'r cwt . . ?' Daeth awydd chwerthin dros Myrf, a bu'n rhaid iddo droi draw ac estyn hances boced, a chymryd arno chwythu'i drwyn.

'Pa fath o betha, felly?' holodd Nain.

'Dach chi'n gwybod, bocsys i eistedd arnyn nhw neu rhyw betha fel'na mae o'n feddwl,' aeth Elen ymlaen, yn ddiniwed i gyd.

'Wel, ydi am wn i,' meddai Nain. 'Ond, cofiwch, mi fydd rhaid i mi gael gwybod be ydi'r cyfrinair rywbryd, achos pan fydd y goes yma'n well, wedi i'r tywydd braf ddod, mi fydda inna isio dod i'r den hefyd!'

'Iawn, siŵr,' meddai Elen a Myrf gyda'i gilydd gan chwerthin yn gwrtais.

Gofynnodd Myrf i'w nain a fuasen nhw'n cael cychwyn paratoi'r den y prynhawn hwnnw, ac roedd hithau'n ddigon bodlon iddyn nhw fwrw ati. Tra oedd hi'n gwylio ffilm ar y teledu, bu'r plant yn brysur yn mynd a dod o'r cwt. Buont yn brysur fel morgrug yn paratoi cartref clyd i Myrffi. Cawsant help Jim-Hel-Bob-Dim i gael gafael ar swp da o wellt i'w roi yng ngornel y cwt i wneud gwely iddo. Gan ddefnyddio polion a gawsant gan Jim, a rholyn o weiren rwyd o sied Rhys, gosododd Rhys ac Elwyn ffens o amgylch darn bach o'r cae o flaen drws y cwt er mwyn i Myrffi gael rhedeg y tu allan. Roedd y ffens yn ddigon isel iddyn nhw fedru camu drosti, ond yn ddigon uchel i gadw mochyn bach rhag dianc. Roedd hi bron yn dywyll erbyn iddyn nhw orffen.

'Fydd y ffens yma'n ddigon cryf, deudwch?' gofynnodd Catrin gan graffu drwy'r gwyll ar y polion cam.

'Bydd, siŵr,' meddai Elen. 'Mochyn bach ydi Myrffi, nid ceffyl.'

'Doedden ni ddim yn medru curo'r polion yn rhy galed, rhag ofn i nain Myrf glywed,' meddai Elwyn.

'Mi ddown ni yma bnawn dydd Sul,' meddai Myrf. 'Mae Nain yn dod i gael cinio efo ni ar ddydd Sul, ac mi fydd hi'n aros drwy'r pnawn fel arfer. Mi gawn ni gyfle i wneud bob dim yn iawn 'r adeg honno.'

Ar ôl dweud wrth Nain eu bod yn mynd, cychwynnodd y criw am adref. Roedden nhw wedi blino'n lân. Mi aethon nhw i gyd, ar wahân i Rhys, i gysgu'n sydyn y noson honno. Meddwl am dîm pêl-droed dan 12 oed Bryncoed roedd o. Doedden nhw ddim wedi cael dim byd ond anlwc ers tro. Roedden nhw wedi colli yn erbyn Llanfadog nos Wener, ac yn erbyn Porthgarw y dydd Sadwrn cynt ac yn erbyn Nant-y-Felin y dydd Sadwrn cyn hynny. Doedd Rhys ddim yn hoffi bod yn aelod o dîm oedd yn colli o hyd.

Pennod 7

'Lle mae o, tybed?' gofynnodd Catrin am y ganfed waith. 'Dan ni'n edrach yn rêl walis yn sefyll yn fan'ma.'

Nos Lun oedd hi, ac roedd Elen a hithau'n sefyll wrth geg lôn Tyddyn Rhos, tŷ nain Myrf, yn disgwyl am Jim-Hel-Bob-Dim i ddod â'r goets yno yn ei fan. Roedden nhw am fynd â'r goets i'r cwt yn barod at nos Fercher.

'Mi ddaw o rŵan, mae'n siŵr,' mwmiodd Elen. Roedd hi wrthi'n darllen rhyw bapurau roedd hi wedi'u tynnu o'i phoced. 'Sbia, Catrin. Rydw i wedi sgrifennu yn fan'ma sut i edrach ar ôl mochyn bach chwech wythnos oed. Mi ffoniais i'r fferm foch yna yn Henffrwd – smalio mod i isio gwybod ar gyfer gwaith ysgol.'

Safodd Catrin ar flaena'i thraed a chraffu ar y papurau. 'Cŵl. Be ydi'r mapia 'na?'

Chwarddodd Elen. 'Myrf wnaeth rhain. Maen nhw'n dangos y lleoedd gora i ddringo dros y wal o Stad y Rhos i'r cae bach. Mae o'n deud na fedrwn ni ddim mynd at y cwt ar hyd y lôn a heibio'r tŷ *bob* bora i roi bwyd i Myrffi, rhag ofn i'w nain ein gweld ni.'

'Mi geith yr hogia ddringo walia, diolch yn fawr,' meddai Catrin.

'Ia wir,' cytunodd Elen, 'er, mae'n amheus gen i a ydi nain Myrf yn gweld o gwbwl drwy'r sbectol-gwaelod-pot-jam yna sy ganddi hi. Bob parch, te. 'Drycha pa mor daclus mae Rhys wedi gwneud hwn! Rota mynd i fwydo Myrffi yn y bora ydi o. Mae o wedi'i wneud o ar y cyfrifiadur. Mae yna gopi i ti hefyd . . . hwda. Rydan ni'n dwy efo'n gilydd *bob* tro.' Ochneidiodd Elen. 'Roeddwn i wedi meddwl y baswn i'n cael mynd efo Rhys ryw unwaith neu ddwy.'

'Diolch yn fawr!' meddai Catrin.

'O . . . y . . . Catrin, ti'n gwybod be dw i'n feddwl. Hei! Dacw fo Jim!' Roedd Elen newydd weld fan Jim yn dod yn araf ar hyd y ffordd.

Cyrhaeddodd yr hen fan wen gan rwgnach, a neidiodd Jim i lawr ohoni. Agorodd y drws cefn a thynnu'r goets allan.

'Dyma ni, genod,' meddai Jim. 'Dw i wedi addasu'r harnes-cerdded, Catrin. Dim ond strapio hwn rownd ei fol o, a'i fachu yn y goets fel hyn, a mi ddylai hynny gadw'r mochyn bach rhag neidio allan tra dach chi'n mynd â fo. O, ia! Mi ddaeth Elwyn â'r flanced yma i'r gweithdy gynnau . . . hen flancedeistedd-allan oedd yn y garej, medda fo, ar gyfer cuddio Myrffi.’

Cododd Elen y flanced fawr drwchus. ‘Nefi!’ meddai. ‘Mae peryg i Myrffi fygu o dan hon.’

Crychodd Catrin ei thrwyn. ‘Dw i ddim yn meddwl bod hynny’n debygol o ddigwydd . . . mae ’na ormod o dyllau gwyfynnod ynddi hi!’

‘Mi ddes o hyd i deth hir bwrpasol hefyd,’ meddai Jim, gan dyrchu yn ei boced. ‘Mi rof hi efo’r botel yn fan’ma o dan y flanced.’

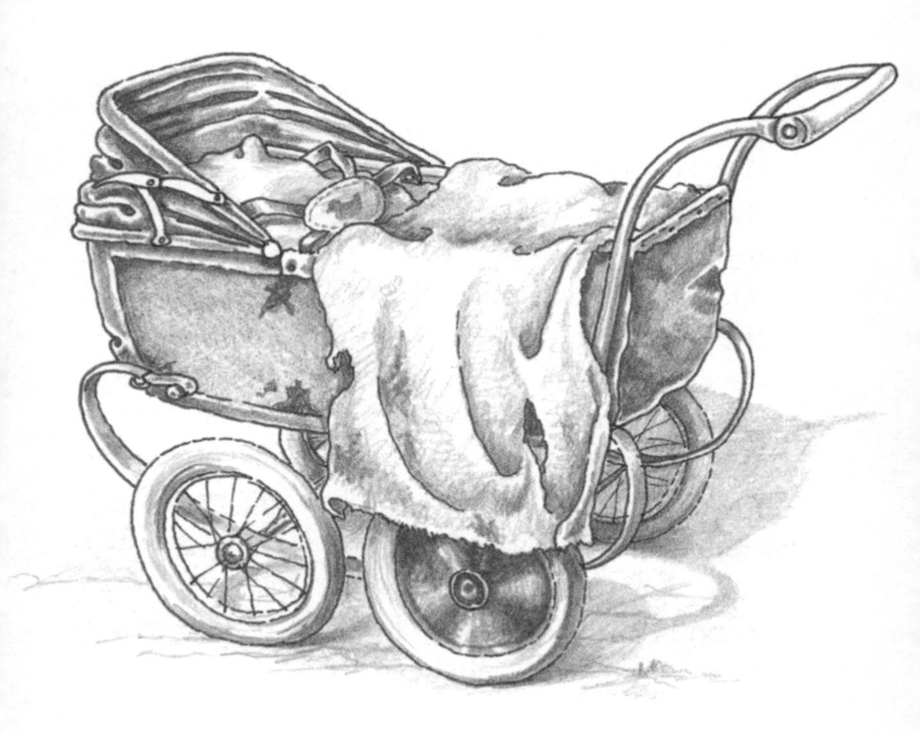

'Grêt!' meddai Catrin. 'Mae popeth gynnon ni rŵan.'

'Omaigod!' meddai Elen yn sydyn mewn panig. 'Mae Sharon Tŷ Pen a Lowri ym mhen draw'r ffordd, ac maen nhw'n dod tuag yma! Os gwelan nhw'r goets mi fyddan nhw'n deud wrth bawb ein bod ni'n dal i chwarae efo dolia!'

'Brysia! Gwthia hi i'r lôn fach!' gwaeddodd Catrin. 'Diolch, Jim! Sori . . . ond rhaid i ni fynd!'

Cododd Jim ei gap, crafu ei ben, a mynd nôl i'r fan gan wenu.

Cerddodd Elen a Catrin nerth eu traed ar hyd y lôn fach, nes eu bod nhw wedi mynd rownd y tro ac o olwg y ffordd.

'Whiw!' meddai Catrin. 'Roedd hynna'n agos!'

Ar hynny, daeth dynes i'r golwg, yn amlwg wedi bod yn Nhyddyn Rhos.

'O, na!' sibrydodd Elen. 'Mam Myrf ydi hi!'

'Helô, genod,' meddai mam Myrf ar ôl eu cyrraedd. 'Mynd i'r den, debyg? Roeddwn i'n clywed, wir, eich bod chi wedi cael caniatâd i ddefnyddio'r cwt yn y cefn.' Edrychodd braidd yn rhyfedd ar y goets. Roedd y merched yn gallu dweud wrth ei hwyneb beth oedd yn mynd drwy'i meddwl hi. Doedden nhw ddim yn rhy hen, braidd, i chwarae tŷ bach efo coets?

'Jest . . . y . . . defnyddio'r goets yma i gario ambell beth yno,' meddai Elen yn gymysglyd.

'Wela i,' meddai mam Myrf gan wenu. 'Hwyl, genod.'

'Embaras, ta be!' meddai Catrin, gan rwbio'i bochau cochion. 'Roedd hi'n ddigon hawdd gweld nad oedd hi ddim yn ein coelio.'

'Hidia befo,' meddai Elen. 'Mae o werth y cwbwl . . . er mwyn achub Myrffi.'

Pennod 8

'Wel . . . wel . . . rargol. Sbiwch faint o'r gloch ydi hi! Ti wedi cawlio petha, 'n do?' meddai Elwyn wrth Myrf Bach. Roedd y bechgyn yn cuddio tu ôl i'r clawdd mewn cae wrth ochr y ffordd rhwng y pentre a Chefn Llwyd, fferm Ewyrth Wil Myrf Bach. Nos Fercher oedd hi.

'*Cawlio!*' meddai Myrf gan boeri ei gwm cnoi i'r glaswellt. 'Be mae hynny i fod i feddwl?'

Ochneidiodd Elwyn. 'Gwneud cawl o betha.'

'Y?'

'Wedi gwneud camgymeriad,' meddai Rhys yn araf, fel tasa'i feddwl o ymhell. Roedd o wrthi'n derbyn negeseuon-testun wrth y dwsin oddi wrth Elen oedd yn aros yn y cwt gyda Catrin yn barod i fynd â'r goets i Gefn Llwyd. 'Hwyrach mai ryw noson arall mae d'ewyrth di'n mynd draw at Twm Elis, Rhes Ganol.'

'Na, iawn!' meddai Myrf yn flin. 'Hwyr ydi o. Rhaid i chi gael mynadd.'

'Mae isio mynadd hefyd!' meddai Elwyn, gan symud oddi ar un ben-glin i'r llall. 'Mi fydd gen i grydcymala os arhosa i yn fan'ma llawer hirach.'

Yna trodd at Rhys, ac meddai, 'Dwyt ti ddim hyd yn oed yn gwylio'r ffordd.'

'Mae'n rhaid i mi ateb Elen, 'n does?' meddai Rhys, a gwên fawr ar ei wyneb. 'Fasai dim ots ganddi hi fod yn cuddio'n fan'ma, medda hi.'

''Sgwn i pam?' meddai Elwyn gan ochneidio'n uchel eto.

'Hisht!' meddai Myrf. 'Dw i'n gallu clywed y *Landrover*!'

Gwrandawodd y tri, a sbecian rhwng y brigau ar ben y clawdd. Ymhen dim mi welson nhw *Landrover* Ewyrth Wil yn mynd heibio. Ar ôl iddi fynd yn ddigon pell dyma nhw'n sgrialu dros y clawdd i'r ffordd, a mynd nerth eu traed am Gefn Llwyd.

Pan dderbyniodd Elen y neges oddi wrth Rhys, gwthiodd Catrin a hithau'r goets allan o'r cwt a mynd fel y gwynt ar hyd y lôn fach. Roedd yr hen goets yn ysgwyd ac yn gwichian wrth fynd dros y cerrig. Ar ôl cyrraedd y ffordd wastad dechreuodd Elen redeg am ei bywyd, achos roedd hi wedi cael cip ar griw o blant yn dod ar hyd y ffordd o gyfeiriad y pentref.

Carlamodd Catrin fel merlen fynydd ar ôl coesau heglog Elen, ond ymhen tipyn gwaeddodd arni, 'Arafa, wir! Mi fydd y llefrith yn y botel wedi troi'n lwmp o gaws cyn i ni gyrraedd Cefn Llwyd! Dw i'n siŵr na fydd Myrffi'n ffansïo caws ar dost i swper heno!'

Dechreuodd Elen chwerthin nes bod ei hochrau'n brifo. Bu'n rhaid i Catrin wthio'r goets am sbel, gan adael Elen i'w dilyn rhwng pyliau o redeg ac o sefyll i chwerthin. O'r diwedd, dyma'r ddwy'n cyrraedd Cefn Llwyd yn fyr eu gwynt a'u hwynebau'n fflamgoch.

Roedd y bechgyn wedi cael y moch o'r twlc yn barod, a Myrf yn tynnu sylw Gwen, yr hwch, gydag afalau wedi cleisio tra oedd Elwyn a Rhys yn ceisio dal Myrffi. Pwysodd Elen a Catrin ar y glwyd i gael eu gwynt atynt. Roedd y moch bach yn llawer mwy bywiog y tro hwn ac yn rhedeg rownd a rownd y cwt yn wyllt. Dechreuodd Elen chwerthin eto wrth weld Elwyn yn mynd yn ei gwman ar hyd y cwt ar ôl un o'r moch bach. Llwyddodd i'w gornelu, ond fel roedd o'n mynd i afael ynddo fo dyma'r mochyn yn gwibio rhwng ei goesau.

'Wel . . . wel . . . drapia!' gwaeddodd Elwyn.

'Dim Myrffi oedd hwn'na beth bynnag, y lembo!' chwarddodd Catrin.

O'r diwedd llwyddodd Rhys i gael gafael ar Myrffi a dechreuodd hwnnw wichian yn swnllyd.

'Allan am dy fywyd!' gwaeddodd Myrf Bach arno, wrth i Gwen yr hwch roi'r gorau i gnoi a mynd ar ôl Rhys a'i chlustiau'n fflapio.

'W . . . y . . ! Brysia!' gwaeddodd Elen arno, gan wthio'r glwyd ar agor. Brysiodd Rhys allan a'r ddau arall wrth ei sodlau. Caeodd Myrf y glwyd yn glep ar eu holau, a chau'r bar.

Roedd yr harnes yn barod gan Catrin mewn chwinc. Strapiodd hi o amgylch Myrffi tra oedd Rhys yn ei ddal yn llonydd, a rhoddodd y bachau'n sownd yn y goets.

Ar ôl i Rhys ei ollwng dechreuodd Myrffi strancio a gwichian yn uwch.

'W . . . y! Be wnân ni?' meddai Elen.

'Wel . . . wel . . . lle mae'r botal?' meddai Elwyn mewn panig.

Daeth Catrin o hyd i'r botel o dan y flanced a gwthiodd hi i safn Myrffi. Ymhen tipyn bach, tawelodd Myrffi a dechrau sugno'r botel.

Doedd neb eisiau gwthio'r goets am fod gan bob un gywilydd rhag ofn i rywun ei weld. Roedd Rhys eisiau cerdded o flaen pawb i weld a oedd y ffordd yn glir. Roedd Elen eisiau cerdded gydag o.

'Pawb i gerdded efo'i gilydd, iawn, neu ddim!' mynnodd Myrf.

'Ia,' cytunodd Elwyn. 'Os gwelwn ni rywun mi ddeudwn ni ein bod ni'n gwthio coets noddedig i hel pres at gathod strae.'

Chwarddodd pawb, a chychwyn am Dyddyn Rhos. Roedd Catrin yn rhoi'r botel i Myrffi bob tro roedd o'n gwichian, a'r lleill yn gwthio'r goets yn eu tro. Drwy lwc, welson nhw neb ar y ffordd.

Wrth geg lôn fach Tyddyn Rhos mi benderfynon nhw dynnu'r harnes yn rhydd o'r goets am fod Myrffi wedi troi a throsi cymaint nes bod yr harnes wedi clymu o'i amgylch. Wrth i Myrf godi Myrffi o'r goets, neidiodd o'i afael a rhedeg ar hyd y ffordd am Stad y Rhos, a'r harnes yn llusgo y tu ôl iddo. Rhedodd Elen a Myrf ar ei ôl. Fel roedden nhw'n cael gafael ar yr harnes, daeth car allan o'r stad. Mi welson nhw'r gyrrwr yn troi ei ben yn gyflym ddwywaith i edrych yn syn ar eu ci rhyfedd.

Gyda thipyn o strach, llwyddodd y criw i gael Myrffi nôl i'r goets a mynd â fo i'r cwt. Ar ôl ei fwytho a rhoi digon o fwyd iddo, roedd hi'n amser iddyn nhw ei adael.

'Mae'n siŵr y bydd ganddo fo hiraeth am ei fam,'

meddai Elen gan snwffian, 'ac am ei frodyr a'i chwiorydd. W . . . y.'

Estynnodd Catrin y flanced o'r goets a'i rhoi ar y gwellt yn y gornel. 'Mi geith o swatio o dan hon,' meddai. 'Mi gysgith o'n sownd ar ôl yr holl lefrith 'na.'

Wedi diffodd y dorts oedd ganddyn nhw ar y silff a chau drws y cwt yn ddiogel, aeth y pump am adref yn ddigon distaw.

Pennod 9

Dydd Sadwrn, roedd mamau'r plant yn siarad gyda'i gilydd mewn bore coffi yn neuadd y pentref. Roedden nhw i gyd o'r farn bod y plant yn ymddwyn braidd yn rhyfedd.

Meddai mam Elwyn wrth estyn am sgon arall, 'Mae Elwyn ni wedi cael rhyw chwiw wirion o beidio bwyta porc! Mi goginiais i tshopan neis i de ddoe, a dyma fo'n troi ei drwyn arni. Ydi o'n mynd yn llysieuwr dach chi'n meddwl?'

'Fel arfer dydi llysieuwyr ddim yn bwyta *unrhyw* fath o gig,' meddai mam Catrin. 'Mae Catrin felly, ond y peth rhyfedd ydi ei bod hi wedi dechrau yfed llefrith fel wn i ddim be. Does 'na byth lefrith yn yr oergell pan fydda i angen peth.'

'Beryg ei bod hi'n mynd â fo i chwarae tŷ bach yn y den,' meddai mam Myrf gan gymryd cegaid arall o goffi. Meddyliodd am funud. 'Dw i'n siŵr mod *i* wedi hen roi'r gorau i chwarae efo dolia pan oeddwn *i*'n ddeg oed. Mi welis i Catrin ac Elen yn gwthio coets i'r den nos Lun.'

Eisteddodd mam Catrin yn syth yn ei chadair. 'O!

Dyna esbonio, felly, pam roedd hi isio'i hen betha babi o'r atig. Lle cawson nhw'r goets, tybed?'

Ysgydwodd y lleill eu pennau.

'Maen nhw'n gwneud rhyw broject ysgol efo'i gilydd,' meddai mam Rhys yn bwyllog wrth roi llwyaid arall o siwgwr yn ei choffi. 'Mae Rhys wedi dechra hel sbarion bwyd . . . i ryw gath strae medda fo . . . ond o hogyn sy fel arfer yn gall, fedra i ddim yn fy myw â'i gael o i ddeall nad ydi cathod ddim yn *arbennig* o hoff o datws stwnsh, crystia na phwdin reis.'

'Hm!' meddai mam Elen. 'Mi fu Elen ar y ffôn am oes ar ôl dod o'r ysgol un noson. Holi am foch, dw i'n meddwl. Ond hyn synnodd fi. Heddiw, pan ofynnais iddi fasai hi'n hoffi dod i'r dre y pnawn 'ma, mi ddeudodd ei bod isio mynd efo'r gang i'r den.'

'Maen nhw'n byw ac yn bod yno, tasech chi'n gofyn i mi,' meddai mam Elwyn. 'Roedden nhw'n hwyr yn dod adre o'r ysgol ddydd Iau a dydd Gwener.'

'Ac yn hwyrach fyth yn dod i'r tŷ gyda'r nos,' meddai mam Catrin braidd yn flin.

Roedd mamau Catrin ac Elen wedi sylwi hefyd bod y merched wedi codi'n anarferol o gynnar ac ystyried mai bore Sadwrn oedd hi. Roedd mam Myrf wedi synnu pan oedd o wedi dweud wrthi na fyddai o'n mynd i helpu ei Ewyrth Wil ddydd Sul yn ôl ei arfer.

Gosododd mam Myrf ei chwpan yn ofalus yn y soser. 'Roeddwn i a Wil yn hoffi mynd i'r den yn y

goeden erstalwm, ond mae hyn yn mynd dros ben llestri. Hwyrach y dylwn i fynd yno i gael golwg.'

'Hm . . .' mwmiodd y lleill gyda'i gilydd, a dechrau siarad am rywbeth arall.

* * *

'Mae o'n beth rhyfedd iawn,' sibrydodd Myrf Bach wrth y criw brynhawn dydd Llun yn yr ysgol. Roedden nhw wedi bod wrthi'n brysur yn ystod y prynhawn yn gwneud eu gwaith am anifeiliaid a hefyd yn ysgrifennu hanes Myrffi ar y slei. Roedd y dosbarth yn cael siarad yn ddistaw cyn i'r gloch amser mynd adref ganu.

Siarad am ei Ewyrth Wil roedd Myrf. Roedd o wedi dod i gartref Myrf yn hwyr nos Wener, ond doedd o ddim wedi dweud gair bod un o'i foch bach o ar goll. Roedd Myrf wedi bod ar bigau'r drain rhag ofn iddo fo sôn rywbeth, ac wedi cymryd arno wylio'r teledu tra oedd Ewyrth Wil yn siarad gyda'i fam a'i dad, rhag iddo orfod edrych arno.

'Falla nad oedd o ddim wedi sylwi 'r adeg honno,' meddai Elen, gan godi'i hysgwyddau a throi ei chyrls yn araf.

'Dydi o ddim cystal ffarmwr ag roeddwn i'n feddwl ei fod o, felly,' wfftiodd Myrf. 'Meddylia! Heb sylwi ers dau ddiwrnod bod rhywun wedi dwyn un o'i foch o!'

'Wel, lwcus na sylwodd o, Myrf Bach,' meddai Catrin. 'Hwyrach y basai o wedi galw'r heddlu erbyn hyn!'

Aeth pawb yn ddistaw am dipyn.

'W . . . y! Wnaethon ni ddim meddwl am hynny,' meddai Elen.

'Be os gwneith o?' meddai Elwyn yn nerfus.

'Mi groeswn ni'r bont yna pan ddown ni ati hi,' meddai Catrin, gan roi plwc sydyn i ddau gudyn o'i chynffon ceffyl.

Toc, canodd y gloch ac aeth pawb allan o'r ysgol. Aeth y criw, gan siarad, am Dyddyn Rhos. Elwyn oedd wedi bod yn bwydo Myrffi yn y bore. Roedd o wedi mynd ar ei ben ei hun am fod Rhys wedi gorfod mynd gyda'i fam at y deintydd. Roedd o wedi gadael llond hen bot coffi o fwyd ar y silff yn barod at amser te. Yr unig beth fyddai'n rhaid i'r criw ei wneud fyddai ei wagio i botel Myrffi a'i rhoi iddo.

Pan gyrhaeddodd y criw y cwt, sylwon nhw fod y drws yn gilagored. Mi agoron nhw'r drws a mynd i mewn. Doedd dim golwg o Myrffi yn unman! Roedden nhw wedi dychryn.

'Mae'n rhaid na wnest ti gau'r drws yn iawn,' meddai Myrf Bach wrth Elwyn. 'Mae'n rhaid bod Myrffi wedi dod allan o'r cwt rywsut ac wedi gwthio o dan y weiren rwyd. Dowch! Mae'n rhaid i ni chwilio'r cae.'

'Dw i'n siŵr mod i wedi cau'r drws yn iawn,' meddai Elwyn yn drist. 'Beth bynnag, fasai mochyn ddim yn medru cau drws ar ei ôl wedi iddo fo wthio'i hun allan.'

'Mae'n bosib bod y gwynt wedi ei gau o wedyn,' meddai Rhys. 'Roedd hi'n chwythu'n o gryf neithiwr.'

Chwiliodd y pump bob twll a chornel o'r cae. Doedd dim sôn am Myrffi.

'Mae'n well i ni fynd i ddeud wrth Nain,' meddai Myrf.

Dilynodd pawb Myrf yn ddistaw o'r cae a rownd am du blaen y tŷ. Roedden nhw'n difaru erbyn hyn eu bod nhw wedi penderfynu dwyn Myrffi yn y lle cyntaf.

'O, na!' meddai Myrf, pan welodd *Landrover* Ewyrth Wil o flaen y tŷ. 'Mi fydd o o'i go!' Roedd o wedi gobeithio cael gair efo'i Nain yn gyntaf cyn torri'r newydd drwg i'w ewyrth.

Roedd y pump yn sefyll yn ddistaw a golwg drist ar eu hwynebau, yn methu magu digon o blwc i guro'r drws, pan ddaeth Ewyrth Wil allan.

'Be sy?' meddai wrth weld eu hwynebau hirion.

Edrychodd y plant ar ei gilydd. Edrychodd Myrf ar ei draed ac yna ar Ewyrth Wil.

'Wedi . . . wedi colli rhywbeth ydan ni,' mwmiodd yn ddistaw. Yna, yn araf deg, gyda help y lleill, dywedodd Myrf yr hanes i gyd wrth ei ewyrth.

Pennod 10

Roedd Ewyrth Wil yn ddistaw am dipyn. Disgwyliodd y plant yn ofnus iddo ddechrau dweud y drefn. Yn lle hynny dywedodd wrthyn nhw am ei ddilyn at y *Landrover.* Roedd cysgod gwên ar ei wyneb.

Agorodd Ewyrth Wil ddrws cefn y *Landrover*. Dyna lle'r oedd Myrffi yn gorwedd yn braf ar bentwr o sachau. Pan welodd o'r plant dyma fo'n neidio i fyny fel tasai o'n falch o'u gweld nhw.

'Myrffi!' meddai Elen yn syn. 'Diolch byth ei fod o'n iawn!'

Aeth pawb at Myrffi i roi mwythau iddo fo.

'Lle ddaethoch chi o hyd iddo fo?' gofynnodd Myrf. 'Yn y cae?'

'Yn y cwt,' atebodd Ewyrth Wil.

'Mi ddeudais i mod i wedi cau'r drws yn iawn, do?' meddai Elwyn yn falch.

'Sut . . . sut oeddech chi'n gwybod ei fod o yno?' gofynnodd Myrf yn araf.

'Mae gen i dderyn du yn byw yn y ddraenen wen wrth giât y buarth,' meddai Ewyrth Wil. Winciodd ar Myrf a chau drws y *Landrover*. 'Mae o'n gweld popeth. Mae o'n deud wrtha i'n syth os oes 'na rywun yn mynd a dod o'r ffarm . . . yn enwedig pan fydda i ddim yno.'

Gwenodd Myrf yn llipa. Roedd o'n falch nad oedd ei ewyrth yn flin.

'Doeddan ni ddim yn bwriadu achosi trafferth i chi,' meddai Elen yn ddistaw, gan dynnu ar un gyrlen o'i gwallt nes ei bod hi'n syth bìn. 'Roeddan ni jest isio gwneud rhwbeth gwerth chweil . . . dach chi'n gwbod, y gwaith ysgol ddeudodd Myrf wrthoch chi amdano fo gynna.'

'Wel, does dim drwg wedi'i wneud,' meddai Ewyrth Wil. 'Rydach chi wedi edrach ar ei ôl o'n iawn, chwarae teg i chi. Mi gewch chi ei gadw fo fel anifail anwes . . .'

'Hwrê!' gwaeddodd Catrin ar ei draws.

'. . . ar yr amod eich bod chi'n addo peidio gwneud dim byd o'r fath byth eto, a mod inna'n cael eich helpu chi i edrych ar ei ôl o,' gorffennodd Ewyrth Wil.

'Addo!' meddai pawb ar draws ei gilydd.

'Dyna ni felly,' gwenodd Ewyrth Wil. 'Mae Myrffi'n fochyn bach lwcus iawn, ddeudwn i.'

'Dw i wedi cael syniad!' meddai Rhys yn gyffrous. 'Beth am wneud Myrffi yn fasgot tîm pêl-droed dan 12 oed Bryncoed? Hwyrach y daw o â thipyn o lwc i ni!'

'Dw i wedi clywed am gi yn fasgot, a hyd yn oed

gafr,' meddai Elwyn gan chwerthin, 'ond dim mochyn!'

'Pam ddim?' meddai Catrin.

'Dw i'n meddwl ei fod o'n syniad grêt!' meddai Elen, a chytunodd pawb ar hynny. Penderfynon nhw y câi Myrf a Myrffi arwain tîm Bryncoed ar y cae yn y gêm yn erbyn Tal-y-bryn y dydd Sadwrn canlynol.

Aeth Ewyrth Wil â Myrffi'n ôl i'r cwt. Dywedodd wrth y plant y gwnâi o edrych ar ei ôl yn ystod y dydd. Roedd Myrf ac Elwyn yn falch na fyddai'n rhaid iddyn nhw godi'n gynnar eto i fynd i'w fwydo. Roedden nhw i gyd yn falch nad oedd rhaid iddyn nhw gadw Myrffi yn gyfrinach byth eto.

Yn yr ysgol bu'r criw'n gweithio eu gorau glas drwy'r wythnos i orffen eu gwaith, ac mi gawson nhw eu canmol gan Mr Roberts. Erbyn dydd Gwener roedd pawb yn gwybod yr hanes am Myrffi, ac eisiau ei weld. Dywedodd Rhys wrth y dosbarth os oedd unrhyw un eisiau gweld y mochyn bach yna dylen nhw ddod i gefnogi tîm Bryncoed yn eu gêm nesaf.

Fore dydd Sadwrn roedd hanner plant yr ysgol a'u rhieni yn y cae pêl-droed. Doedd Bryncoed erioed wedi cael cymaint o gefnogwyr. Dechreuodd pawb weiddi dros bob man a churo dwylo pan welson nhw Myrffi'n rhedeg ar y cae gyda Myrf yn arwain y tîm. Roedd ei harnes wedi'i pheintio'n wyrdd a melyn, sef lliwiau'r tîm, ac roedd rubanau o'r un lliwiau arni ym mhobman. Oherwydd yr holl guro dwylo a gweiddi, roedd tîm Bryncoed mewn hwyliau da. Mi enillon nhw'r gêm yn erbyn Tal-y-bryn o dair gôl i un, ac roedd pawb wrth eu bodd.

Roedd Rhys wrth ei fodd yn fwy na neb, achos fo oedd wedi sgorio dwy o'r goliau. Roedd Elen wrth ei bodd hefyd. Ei syniad hi o helpu anifeiliaid oedd, yn y pen draw, wedi dod â lwc i dîm Bryncoed. Ond roedd rheswm arall pam roedd hi'n hapus. Pan oedd Rhys yn rhedeg gyda'r tîm oddi ar y cae, roedd o wedi troi i edrych arni yn wên o glust i glust, ac wedi rhoi winc fawr arni!